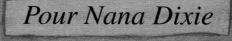

Pour Nana Dixie

Traduction de Christine Mayer

ISBN : 2-07-059160-3
Titre original : *Boo !*
Publié par Andersen Press Ltd., Londres
© Colin McNaughton, 1995
© Éditions Gallimard, 1995,
pour la traduction française
Dépôt légal : septembre 1995
Loi n° 49-956 du 16 juillet 1949
sur les publications destinées à la jeunesse
Numéro d'édition : 73354
Imprimé en Italie par Grafiche AZ

BOUH!

Écrit et illustré par
Colin McNaughton

Gallimard Jeunesse

Dans une sombre, sombre rue,
d'une sombre sombre ville,
Samson (le Vengeur Masqué) rôde…

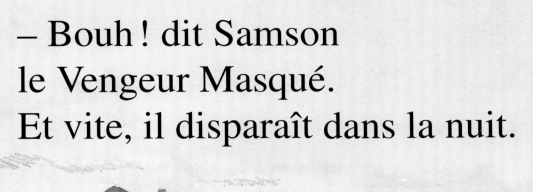

– Bouh ! dit Samson
le Vengeur Masqué.
Et vite, il disparaît dans la nuit.

Furtivement, à travers les ombres,
Samson le Vengeur Masqué
espionne le grand, le fort Billy
le Bulldozer…
sa prochaine victime…

– Bouh ! dit Samson
le Vengeur Masqué.
Et vite il disparaît dans la nuit.

Agile comme un petit chat
Samson le Vengeur Masqué
se glisse dans la nuit noire
pour atteindre l'école où
sa maîtresse corrige
les devoirs.

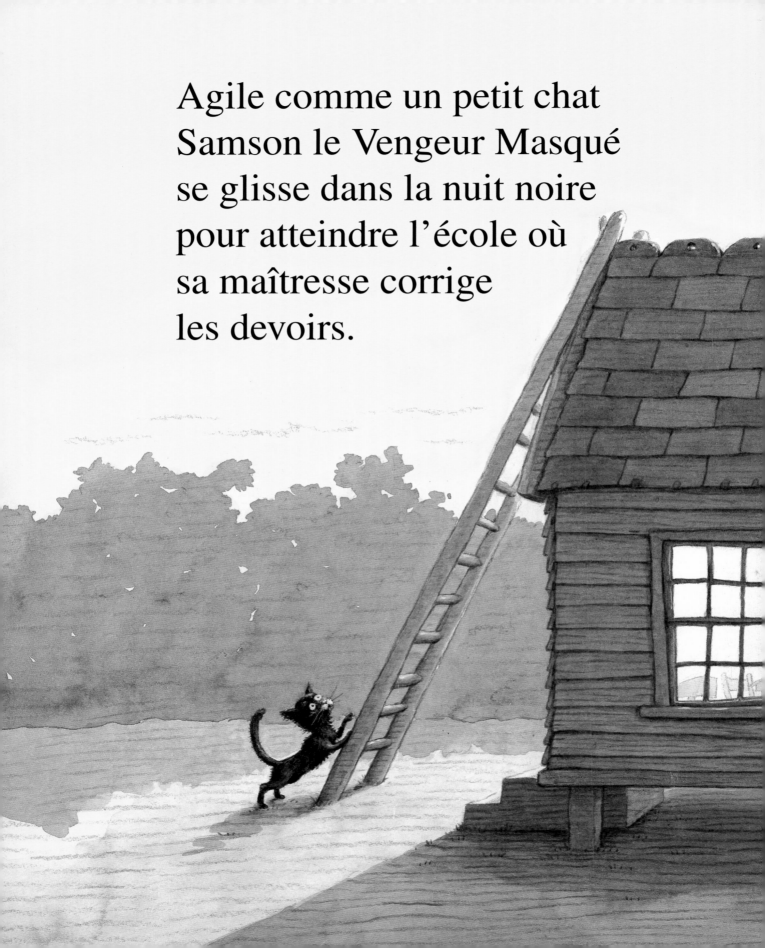

– Bouh ! dit Samson
le Vengeur Masqué.
Et vite, il disparaît dans la nuit…

Ensuite notre super héros
arrive près de la maison du loup.
– Bouh ! dit Samson
le Vengeur Masqué.
Et très discrètement, il s'esquive…
– Je suis peut-être un super héros,
mais je ne suis pas stupide,
dit Samson.
Et vite, il disparaît dans la nuit.

Samson le Vengeur Masqué,
allongé derrière un buisson, attend
l'arrivée du plus grand ennemi
de l'univers…

… son papa.

– Bouh ! dit Samson
le Vengeur Masqué.
Et il disparaît dans la nuit.

… enfin, c'est ce qu'il aurait fait,
si son papa n'avait été plus rapide
que lui.

– Samson, dit son père,
la ville entière se plaint de toi,
tu es un très vilain petit cochon.

Samson le Vengeur
plus Masqué du tout
est envoyé dans sa chambre sans dîner.

Tout à coup !

– Bouh ! dit le père de Samson.
Voilà, ça t'apprendra
à faire peur à tout le monde.

En fait, pas du tout !